Een taart voor Sep

geschreven en getekend door
Gitte Spee

Zwijsen

Sterlogo en schutbladen: Georgien Overwater
Vormgeving: Rob Galema (Studio Zwijsen)

STICHTING NEDERLANDSE
KINDERJURY
1994

AVI 2

11 12 / 04 03

ISBN 90.276.2902.1
NUGI **260**/220

© 1993 Tekst en illustraties: Gitte Spee
Uitgeverij Zwijsen Algemeen B.V. Tilburg

Voor België:
Uitgeverij Infoboek N.V. Meerhout
D/1993/1919/68

„Saar," zegt Sep, „mijn maag knort."

Saar plukt een braam.

„Hier Sep, eet maar op."

„Ik lust geen braam, Saar."

„Wat stom," zegt Saar.

„Ik ben er dol op."

Saar stopt de braam in haar mond.

Ze plukt er nog een.

En dan nog een en nog een.

Saar propt zich vol.

Te vol, ze laat een boer.

„Dat smaakt best," zegt ze.

Sep kijkt sip.

„En ik dan Saar?"

Maar Saar gaapt.

Haar buik is vol.

Ze valt in slaap.

Sep zucht en wacht.
Na een poos wordt hij boos.
Wat naar van Saar, denkt hij.
Zij slaapt maar.
Mijn maag knort nog.
Mijn buik is leeg.

Sep slaat met zijn staart naar Saar.
„Vooruit Saar, sta op!"
Saar springt op.
„Oh gut, Sep, ik sliep."
„Ja Saar," zegt Sep.
„Maar ik heb nog trek."
„Pluk dan een bes," zegt Saar.
„Nee Saar, ik wil geen bes.
Ik wil taart!"
Saar pakt Sep op.
„Kom mee naar huis.
Daar is vast taart."

Saar zoekt in de kast.
Sep kijkt in een doos.
Er is geen taart in huis.
Sep loopt naar de tuin.
Hij kijkt in een ton.
Saar lacht hem uit.
„Doe niet zo dom, Sep.
In de tuin is echt geen taart."
Sep kijkt weer sip.
Saar denkt diep na.
„Er is nog een kast, Sep.
De ijskast.
Wie weet is daar taart."

Maar de ijskast is haast leeg.
Er is geen taart te zien.
Sep weet zich geen raad.
Hij wil zo graag taart.
„Kijk Sep," zegt Saar.
„Er staat een pak melk.
En er is ook ei en meel."
„Suf schaap," zegt Sep.
„Ik wil geen melk.
En ook geen ei.
Ik wil taart."

„Nou zeg," Saar is boos.
„Ik dacht, ik bak een taart.
Met melk en ei.
Met meel en vet.
Maar nu niet meer.
Nu ben ik boos!"
Sep heeft spijt.
„Oh, toe Saar.
Je bent niet suf.
Bak maar een taart.
Dat is heel knap.
Hoor, mijn maag knort zo."

Saar pakt een kom.
Ze giet er wat melk in.
Dan gaat het ei erbij.
„Kom, Sep, help ook eens mee."
Sep roert en roert.
Klets!
Hij valt in de prut.
„Bah, Saar.
Die taart is vies!"
„Domkop," zegt Saar.
„Het is nog niet klaar.
Er moet nog vuur bij.
Dan wordt het pas taart."

Sep wacht bij het vuur.
Hij wacht al lang.
Hij heeft trek.
„Is de taart klaar, Saar?"
„Nog niet, Sep."
Na een poos vraagt Sep weer:
„Is de taart nu klaar?"
„Ja, Sep, nu is hij klaar."
Saar pakt de taart uit het vuur.
Oei, wat heet!
De taart valt haast.
„Kijk uit," zegt Sep.
„Straks is mijn taart stuk."
Saar zet hem neer.
„Hij ruikt wel goed, hè?"
„Ja ja Saar, hij ruikt heel goed.
Krijg ik nu een stuk?"
„Nog niet," zegt Saar streng.
„De taart is nog te heet."
Sep wacht en wacht.

Saar kijkt nog eens naar de taart.
„Hij is wel kaal, Sep.
Er moet wat fruit op.
Ga mee naar het bos."

„Maar ik heb nu trek, Saar," zeurt Sep.
„De taart is echt te heet, Sep.
Ga nou maar mee."

Sep en Saar gaan weer naar huis.
Met een mand vol fruit.
Voor op de taart.

„Saar," roept Sep.

„Waar is de taart?"

„Bij het raam, Sep."

„Nee, Saar.

Er is geen taart bij het raam."

„Doe niet zo gek," zegt Saar.

„Een taart loopt niet weg."

„Kijk dan zelf Saar."

Saar loopt naar het raam.

„De taart is weg!" roept ze.

„Ja," huilt Sep.

„Dat zei ik al."

„Wat raar," zegt Saar.

„Wie pakt er nou een taart?"

Sep huilt nu heel hard.

„Hou op Sep," zegt Saar.

„Het was maar een taart."

„Ja, maar ik had zo een trek," brult Sep.

„Mijn buik is heel erg leeg."

Saar kijkt uit het raam.

„Kijk Sep, daar ligt wat kruim."

Saar wijst naar de grond.

Ze vindt nog meer kruim.

Het kruim vormt een spoor.

„Ik wil taart," brult Sep.
„Veel taart."
„Kom mee, Sep.
Het spoor gaat vast naar de dief."

Saar loopt van kruim tot kruim.
Sep volgt zo snel hij kan.
„Niet zo snel Saar.
Mijn buik is zo leeg.
Ik kan niet erg snel."
„Het moet wel snel," zegt Saar.
„De dief heeft vast ook trek.
Straks is de taart op."
„Ik kan echt niet, Saar," hijgt Sep.

Saar pakt Sep op.
„Zo goed?"
Sep vindt het goed.
Hij vindt Saar lief.

Saar loopt en loopt.
Het spoor is lang.
Dan houdt het op.
Bij een plas.
„Wat nu Saar?" vraagt Sep.
„Kijk," zegt Saar.
„Daar drijft wat kruim.
Het spoor gaat door in de plas."
PLOP.
Een vis hapt naar het kruim.
„Niet doen vis.
Dat kruim is van ons.
Het is een spoor!"
De vis hapt door.

Saar springt in de plas.
De plas is niet diep.
Ze loopt er zo doorheen.

De plas is ook niet groot.
Snel stapt Saar weer aan de kant.
„Bah, wat sopt dat zeg," bromt ze.
Saar spet en spat.
Ze is heel nat.
„Toe Saar," zegt Sep.
„Denk aan mijn taart."
„Ja," bromt Saar.
„Ik ga al."

Plots staat Saar stil.
„Sep, hoor jij het ook?"
„Ik hoor niks," zegt Sep.
„Wacht, daar is het weer."
Sep houdt zich stil.
Dan hoort hij het ook.
Smek... smak... smek.
„Wat zou dat zijn, Saar?"
Sep praat heel zacht.

„Ik weet het niet, Sep.
Het komt uit dat bosje."
Saar sluipt er naartoe.
Smek... smak... smek.
Daar klinkt het weer.

Er steekt iets uit het bosje.
„Wat raar.
Wat is dat Saar?"
„Dat is een staart, Sep.
De staart van Plok."
„Oh, Saar, dat is vast de dief.
Spring erop!
Ik wil mijn taart!"
„Stil, ik hoor het weer."
Smek... smak... smek.
„Ja hoor, dat is Plok."
„Toe Saar, spring erop."

Saar neemt een sprong.

Boem! In het bosje.

„Au, au, niet op mijn buik," huilt Plok.

„Mijn buik is zo vol."

„Dief," roept Sep.

„Waar is de taart?"

„De taart is op.

Ik nam net nog een hap.

Nu is hij op."

„De taart was van ons," roept Saar boos.
„Nee hoor," zegt Plok.
„De taart was van mij.
Ik vond hem bij een raam.
Ik zei nog: taart, ik neem je mee.
De taart zei geen nee.
Nu heb ik spijt.
De taart was taai."

Saar wordt woest.
„Hoe durf je!
Mijn taart was niet taai.
Bak er zelf dan één.
Geef maar toe.
Dat kun je niet."
„Dat kan ik wel," zegt Plok.
„Niet zo goed als ik," sist Saar.
„Wel!"
„Niet!"

„Ik weet wat," zegt Sep.
„We gaan naar huis.
Eerst bakt Plok een taart.
Dan bakt Saar er een.
Ik proef een stuk van Plok.
En ik proef een stuk van Saar.
Dan zeg ik wie wint."
„Goed," zegt Plok.
„Fijn," zegt Saar.

„Mijn taart is klaar," zegt Plok.
Sep proeft een stuk.
„Mijn taart is af," zegt Saar.
Sep neemt een hap.
„En?" vraagt Saar.
Sep neemt nog een stuk.
„Nou?" vraagt Plok.
Sep neemt weer een hap.
Nog een stuk.

Weer een hap.

„De taart is op," roept Plok.

„Wie wint er nou?" vraagt Saar.

Sep gaapt.

Zijn buik is vol.

Hij valt in slaap.

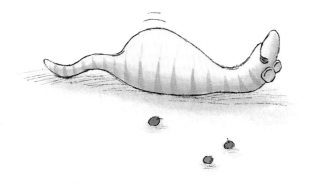

Ster

Onder de naam *Ster* verschijnen zes series boeken voor beginnende lezers. De series klimmen op in moeilijkheidsgraad en sluiten aan op de series van *Maan-roos-vis*.

Maan-roos-vis is bestemd voor beginnende lezers in de eerste drie maanden van het leren lezen. Daarna kunnen de kinderen de eerste *Ster*-serie lezen. De opklimming in moeilijkheidsgraad is als volgt:

Ster serie 1: na ongeveer 4 maanden leesonderwijs
Ster serie 2: na ongeveer 5 maanden leesonderwijs
Ster serie 3: na ongeveer 6 maanden leesonderwijs
Ster serie 4: na ongeveer 7 maanden leesonderwijs
Ster serie 5: na ongeveer 8 maanden leesonderwijs
Ster serie 6: na ongeveer 9 maanden leesonderwijs

In *Ster* zijn tot nu toe verschenen: